Fractured Horizon

A LANDSCAPE OF MEMORY

Gorwel Briwedig

TIRLUN ATGOF

BOOKS PUBLISHED BY BUTETOWN HISTORY & ARTS CENTRE
LLYFRAU A GYHOEDDWYD GAN GANOLFAN HANES A CHELFYDDYD BUTETOWN

Neil Sinclair, *The Tiger Bay Story*, 1993

Mike Johnson, *Old Cardiff Winds – Songs from Tiger Bay and Far Beyond*, 1993

Phyllis Grogan Chappell, *A Tiger Bay Childhood: Growing Up in the 1930s*, 1994

Harry "Shipmate" Cook, *How I Saw It*, 1995

Rob Stradling, *Cardiff & The Spanish Civil War*, 1996

Glenn Jordan, *Down the Bay – Picture Post, Humanist Photography and Images of 1950s Cardiff*, 2001

Glenn Jordan, *Tramp Steamers, Seamen & Sailortown – Jack Sullivan's Paintings of Old Cardiff Bay*, 2002

Neil Sinclair, *Endangered Tiger*, 2003

Fractured Horizon

A LANDSCAPE OF MEMORY

Gorwel Briwedig

TIRLUN ATGOF

TRANSLATED BY | CYFIEITHIAD T. JAMES JONES

PHOTOGRAPHS BY | FFOTOGRAFFAU
Mathew Manning

MEMORIES & WORDS BY | ATGOFION A GEIRIAU
Patti Flynn

EDITED BY | GOLYGWYD GAN
Glenn Jordan

A Butetown History & Arts Centre Book | Cyfrol Canolfan Hanes a Chelfyddyd Butetown

This publication accompanies the exhibition
"Fractured Horizon—A Landscape of Memory".

© Butetown History & Arts Centre 2003

ISBN 1 898317 11 9

Designed by Malin
Cover photos Glenn Jordan
Printed and bound by Zenith Media

Butetown History & Arts Centre
5 Dock Chambers
Bute Street
Cardiff Bay CF10 5AG

www.bhac.org

Mae'r cyhoeddiad hwn yn rhan o arddangosfa
"Gorwel Briwedig—Tirlun Atgof".

© Canolfan Hanes a Chelfyddyd Butetown 2003

ISBN 1 898317 11 9

Cynlluniwyd gan Malin
Lluniau y clawr Glenn Jordan
Argraffwyd a rhwymwyd gan Zenith Media

Canolfan Hanes a Chelfyddyd Butetown
5 Dock Chambers
Heol Bute
Bae Caerdydd CF10 5AG

www.bhac.org

"But my grief wanted a just image."

"Ond roedd angen delwedd gyfiawn ar fy loes."

— Roland Barthes

Contents / Cynnwys

Beatie Young (née Beatrice Silver) with her sons Arthur & Jocelyn
Beatie Young (Beatrice Silver gynt) gyda'i meibion Arthur & Jocelyn

Foreword

BY PATTI FLYNN (NÉE YOUNG)

Born in cosmopolitan Butetown, Cardiff, I am proud of my heritage. I was a Bay girl who began her career in memorable Welsh valley clubs, after a short apprenticeship with local musicians, who were among some of the most talented in the UK. I sang in cabaret, jazz groups, big bands and various theatres, including a stint in a West End musical. Then I travelled some of the big, wide world in show business. But I still retained fond and nostalgic memories of my childhood, growing up in that special place known as Tiger Bay.

During the late 50s and early 60s, in the shadow of St Mary the Virgin Church, which stands at the northern end of Bute Street, bulldozers demolished the buildings of the old community. This new development scheme dispersed and fragmented the bay community – and almost killed its spirit. But a small proportion of what was still remains.

On Tuesday afternoons, female senior citizens of the area, past and present, meet at the Butetown Community Centre for a chat and a game of bingo. These women remember when Tiger Bay flourished and produced famous sportsman and entertainers. But they never forget the many unproclaimed war heroes, husbands, brothers and sons of their community and Cardiff, who sacrificed their lives in two world wars. Nor do they forget the victims of air raids at home, or the Blitz of forty-one that devastated Cardiff. And at three o'clock during the Tuesday meetings, they stand and sing a hymn, followed by the Welsh national anthem.

When my mother Beatie Young (née Beatrice Silver) tragically lost my father and my two brothers during the Second World War, it was the Butetown ladies, her friends and contemporaries, who helped her weather the storms. I thought of them when Glenn Jordan asked if I knew of parts of old Cardiff bay that would be suitable for his University of Glamorgan student to photograph for a project.

"Why not try to capture the link between the past and the present – the muddy waters of the channel, the view from the esplanade, the forgotten banks of the River Taff, the disappearing shoreline of our bay," I said, reclaiming the area I had moved out of almost forty years ago. And I added, "If you like, you can have some of my memories to back up the photographs."

"But where do I find these scenes?" asked Mathew, who was from Somerset. "There's such a lot of new construction around the bay, I can hardly find the Pier Head."

"I'm sure Patti would be willing to show you around the place." Here was Mr. Jordan throwing down the gauntlet. I said, "Mathew put on some boots tomorrow, bring your Wellingtons, and be prepared to do some rock and mud climbing."

I was already back in the past, sitting on the old sea wall of the esplanade, while my brother fished or threw stones into the water. Glenn had given me an opportunity to share some of my memories. If they seem a little hazy, it's because time casts long shadows.

It was a pleasure to work with Mathew and accompany him around the bay on those chilly days. He respected the age difference between us and was willing to listen. He never hesitated to investigate when I sent him in the direction of some landmark that seemed almost impossible to reach – while I remained safely on dry land. Once or twice I panicked when he disappeared from view. But after a while his head would bob up from some rock or around the side of a wall and I'd sigh with relief.

His photographs are a credit to our journey to the past.

I dedicate this to my family and friends of the community who gave their lives during the 2nd World War and also to all others in Cardiff who lost loved ones and suffered during those horrific days when our city was a prime target for enemy bombs.

That moment in time has passed and I hope and pray it may never return: otherwise, they will have all suffered and died in vain.

Tortured Journey:
Cardiff Bay, Photography and the Landscape of Memory

INTRODUCTION BY GLENN JORDAN

"In the passage of time things change: yachts and pleasure boats anchor where steamships, tug boats and barges once queued."

Patti Flynn

"We photographers deal in things that are continually vanishing; and when they have vanished there is no contrivance on earth that can make them come back again."

Henri Cartier-Bresson, *The Mind's Eye*

"But my grief wanted a just image."

Roland Barthes, *Camera Lucida*

This little book is important—profound, unique, disturbing.

Fractured Horizon brings together the work of Mathew Manning, then a university student completing a degree in communication studies, and Patti Flynn, a singer-writer whose family has deep roots in that place that is now called Cardiff Bay. Together, through pictures and words, they confront the past and present of Cardiff docklands.

Though separated by generation and experience, the collaboration in this photo-text is exemplary. The work is the product of mutual respect—for her ways of feeling and seeing, for his abilities with the camera and skills in the darkroom.

In *Iconology: Image, Text, Ideology*, W. J. T. Mitchell asks, "Why do we have this compulsion to conceive of the relation between words and images in political terms, as a struggle for territory, a contest for meaning?" Relations between photographers and writers are sometimes difficult, but not here. In this work, images and words, visual art and literature, co-exist in an intense, productive, dialogic relationship.

"One must always take photographs with the greatest respect for the subject and for oneself."

Henri Cartier-Bresson, *The Mind's Eye*

It was not a matter of the student-photographer taking some pictures and the narrator-writer providing some text—titles and captions—to accompany them. Over a period of several weeks, the writer and the photographer walk together around the shoreline of the area that is being reinvented as Cardiff Bay. The eye here is not simply that of the photographer: it is also that of the narrator—for she frequently directs him to press his shutter before her sites of memory.

In order to guide the photographer, the narrator draws upon a personal and collective archive of stored impressions. To find what she remembers, to repossess fragments of her past, the narrator takes the photographer to the edges, the margins, the not-yet-completed spaces of the redevelopment.

There, among the time-ravaged and the eroded, the used and the abandoned, she manages almost to be at home.

There are some interesting, carefully taken photographs here, the product of an emerging photographic eye. Look at the composition—light and shadow, line and space, foreground and background, shape and pattern—in such images as "Gateway", "The Return", and "Towards the Light". Observe the shapes and patterns in "Left by the Tide", "Tidal Link" and "Alien". Consider texture and tone in "Reaching Out", "Landmarks" and "Debris". Note the reflected light on the Bay waters in images such as "Moorings" and "Reflections of Time". Look at the interplay of shape, light and shadow in "The Foreshore" and "Searching".

These are good photographs. Their importance, their lasting value lies in their connection to history and memory—individual and collective. These are photographs of the present, imprinted with traces of the past.

"A photograph is not only an image (as a painting is an image), an interpretation of the real; it is also a trace, something directly stencilled off the real, like a footprint or a death mask."

Susan Sontag, *On Photography*

There are a few images here that the photographer would have left out—because they lacked intrinsic interest or technical perfection. But the narrator insisted that they be included—because for her they are re-enactments filled with memory and emotion.

To photograph is to engage in an ethical-political act.

The photograph is much more than the naïve empiricist ever imagined: the power of the photograph is not that it sees but that it calls forth; not that it is a mirror of reality but that it can be a gateway to the soul. Like the dead relatives and friends preserved in the family photo album, these pictures, with the titles and captions that accompany them, cause us to remember the past (and perhaps to imagine other futures that might have been).

Through photographs we remember. The past as eternally present—that is what the photograph affirms. However,

"The past is never there waiting to be discovered, to be recognised for exactly what it is. History always constitutes the relation between a present and its past."

John Berger, *Ways of Seeing*

Patti recalls childhood memories of the sea—the tug of the tide, the feel of the rocks and the smell of the mud; the tramp steamers, the tugboats and the barges. She remembers the seamen from overseas and local lads who sailed on the merchant ships. There are no pictures of the old timers here—no faces from the past—but their spirit inhabits these pages.

Through her recollections, her blue notes and the images in this book, the narrator makes the place hers again. Hers is a powerful, personal return visit to a real and imagined landscape.

On the shining surface of the water, on the rocks, abandoned objects and debris, the narrator sees distorted reflections of times past. The debris of history, strewn around the new Cardiff Bay, becomes symbolic images.

For Patti these fragments, these traces of the past that linger in a now alien space, bring forth inexhaustible and contradictory emotions—satisfaction and emptiness, the joy of recognition and the deep pain of loss. The photograph assuages anxiety and disorientation but it also creates it. It is both solace and a source of pain.

Through the voice of the narrator we come face to face with fractured memories and bottled-up emotions that had not previously found public expression. Grief is laid bare for us to share.

Patti's voice testifies to a community's suspicion, to their scepticism about the new. Her voice, informed by powerful memories and filled with decades-old feelings, vibrates with emotion. The meanings she derives are both intoxicating and harrowing. For her, and for some of you, many of these scenes are lacerations.

She has to look hard to find places and objects that resonate with her recollections. Here and there she finds sights that mock her remembrance. Thus, for her, the Cardiff Bay Barrage is an obstruction, an alien intrusion.

In this photo-text, we are invited-compelled to see what the narrator sees, to experience what she feels, to affirm with her that the traces are still there.

The photograph pricks, lacerates and re-opens old wounds which stretch back over generations. Drawing on her personal memory and the collective memory of her family and her community, the narrator recalls/re-sees the Bay boys and men who sailed from Cardiff and lost their lives at sea on unprotected merchant ships during World War Two. She invites us to join her in imagining the fate of those dishonoured men from a disowned community. But there is no preaching here.

In *Time Pieces* (1999), Wright Morris says, "The telling imagery of our memorable writers is rooted in memory and emotion." The challenge of art is to create something that matters—to cause the viewer-reader to reflect, to feel, to be moved.

A day before this project began, Patti Flynn and Mathew Manning did not know each other. When I brought the two together, I felt that the result would be good. In fact, it has proven extraordinary.

Join the narrator and the photographer on a journey around Cardiff Bay — to sites of memory. Walk around with them and see what has been done.

Cardiff Bay: "Europe's most exciting waterfront development" or a crime scene? That is for you to decide.

REFERENCES

Roland Barthes, *Camera Lucida: Reflections on Photography*. London: Vintage, 1993.

John Berger, *Ways of Seeing*. London: BBC and Penguin Books, 1972.

Henri Cartier-Bresson, *The Mind's Eye: Writings on Photography and Photographers*. New York: Aperture, 1999.

W. J. T. Mitchell, *Iconology: Image, Text, Ideology*. Chicago and London: University of Chicago Press, 1986.

Wright Morris, *Time Pieces: Photographs, Writing, Memory*. New York: Aperture, 1999.

Susan Sontag, *On Photography*. London: Penguin Books, 1979.

Patti Flynn (née Young)
Patti Flynn (Young gynt)

Rhagair

PATTI FLYNN (YOUNG GYNT)

Wedi fy ngeni yn ardal gosmopolitaidd Butetown, Caerdydd, rwy'n falch o'm hetifeddiaeth. Merch y Bae oeddwn, wedi dechrau fy ngyrfa yng nghlybiau bythgofiadwy'r cymoedd Cymreig ar ôl bwrw prentisiaeth fer gyda cherddorion lleol a oedd ymhlith y rhai mwyaf talentog yn y Deyrnas Unedig. Cenais mewn cabaret, grwpiau jas, bandiau mawr a gwahanol theatrau, gan gynnwys cyfnod mewn sioe gerdd yn y West End. Wedyn teithiais rywfaint dramor i fod yn rhan o'r byd adloniant. Ond roeddwn yn dal i gofio'n annwyl iawn am fy mhlentyndod a chyfnod yr aeddfedu yn y lle arbennig a adnabyddid fel Tiger Bay.

Yn ystod y pum degau diweddar a'r chwe degau cynnar, yng nghysgod Eglwys Santes y Forwyn Fair sydd i'w gweld ar ben gogleddol Heol Bute, dymchwelwyd adeiladau'r hen gymuned gan deirw dur. Gwasgarwyd a chwalwyd cymdeithas y bae gan y datblygiad newydd hwn – nes bron â lladd ei hysbryd. Ond y mae cyfran fach o'r hyn a fu yn dal i fod.

Bob prynhawn Mawrth fe gyferfydd menywod henoed yr ardal, ddoe a heddiw, yng Nghanolfan Gymdeithasol Butetown am sgwrs a bingo. Fe gofia'r menywod hyn am Tiger Bay yn llewyrchus ac yn cynhyrchu mabolgampwyr a diddanwyr enwog. Ond byth nid anghofiant yr arwyr rhyfel anghyhoeddedig, gwŷr, brodyr a meibion eu cymuned a aberthodd eu bywydau mewn dau ryfel byd. Nid anghofiant, chwaith, ddioddefwyr y cyrchoedd awyr a ddifrododd Gaerdydd, yn enwedig blitz 1941. A phob prynhawn, am dri

o'r gloch yn ystod y cyfarfodydd, safant i ganu emyn cyn canu Hen Wlad Fy Nhadau.

Pan gollodd fy mam, Beatie Young (Beatrice Silver gynt), fy nhad a'm dau frawd yn ystod yr Ail Ryfel Byd, menywod Butetown, ei ffrindiau a'i chyfoedion a'i helpodd i wynebu'r stormydd. Meddyliais amdanynt pan ofynnodd Glenn Jordan i mi a wyddwn am rannau o hen fae Caerdydd a fyddai'n addas i'w fyfyriwr ym Mhrifysgol Morgannwg dynnu lluniau ar gyfer prosiect.

"Pam na cheisiwch chi ddal y cysylltiad rhwng y gorffennol a'r presennol—dyfroedd mwdlyd y sianel, yr olygfa o'r promenâd, glannau anghofiedig Afon Taf a thraethlin ddiflanedig ein bae," dywedais, gan adennill yr ardal y symudais ohoni bron ddeugain mlynedd yn ôl. Ac ychwanegais, "Os dymunwch, gellwch gael rhai o'm hatgofion i ategu'r ffotograffau."

"Ond ymhle y caf fi'r golygfeydd hyn?" holodd Mathew, a ddeuai o Wlad Yr Haf. "Y mae cymaint o adeiladu newydd o gwmpas y bae, nes ei gwneud hi'n anodd i mi ddod o hyd i Ben y Pier."

"Rwy'n siwr y bydd Patti'n barod i ddangos y lle i chi." Fan hyn roedd Mr. Jordan yn fy herio. Dywedais, "Mathew, gwisgwch esgidiau fory, dewch â'ch welingtons, a byddwch yn barod am rywfaint o ddringo creigiau a mwd."

Roeddwn i eisoes nôl yn y gorffennol, yn eistedd ar hen wal y promenâd, tra roedd fy mrawd yn pysgota neu'n taflu cerrig i'r dŵr. Roedd Glenn wedi rhoi cyfle i mi rannu rhai o'm hatgofion. Os ymddangosant braidd yn annelwig, y mae hynny oherwydd fod amser yn taflu cysgodion hir.

Roedd hi'n hyfryd gweithio gyda Mathew, a mynd gydag ef o gwmpas y bae yn y dyddiau rhynllyd rheiny. Parchodd fwlch yr oedran rhyngom ac roedd yn barod i wrando. Ni phetrusodd unwaith i ymchwilio pan anfonwn ef ar drywydd rhyw dirnod a ymddangosai allan o'i gyrraedd – tra'r arhoswn innau'n ddiogel ar dir sych. Ambell waith cawswn fraw pan ddiflannai o'm golwg. Ond ar ôl ysbaid ymddangosai ei ben yn sydyn o'r tu cefn i graig neu dros ymyl wal, ac mi fyddai hynny'n rhyddhad i mi.

Rhydd ei ffotograffau urddas ar ein taith i'r gorffennol.

Cysegraf hyn i'm teulu ac i ffrindiau'r gymuned a aberthodd eu bywydau yn ystod yr Ail Ryfel Byd, ynghyd ag i eraill yng Nghaerdydd a gollodd anwyliaid ac a ddioddefodd yn ystod y dyddiau dychrynllyd rheiny pan oedd ein dinas yn darged i fomiau'r gelyn.

Aeth y foment honno heibio ac rwy'n gobeithio ac yn gweddïo na ddaw byth yn ôl: fel arall, byddant wedi dioddef a marw yn ofer.

Taith Ingol:
Bae Caerdydd, Ffotograffiaeth a Thirlun Atgof

CYFLWYNIAD GLENN JORDAN

"Gyda threigl amser mae pethau'n newid: badau a chychod pleser yn angori lle bu, unwaith, stemars a thynfadau a chychod camlas."

Patti Flynn

"Fel ffotograffwyr byddwn yn ymwneud â phethau sy'n diflannu'n wastadol; ac wedi iddynt ddiflannu nid oes un ddyfais ar wyneb daear a fedr eu hadfer."

Henri Cartier-Bresson, *The Mind's Eye*

"Ond roedd angen delwedd gyfiawn ar fy loes."

Roland Barthes, *Camera Lucida*

Mae'r llyfryn hwn yn un o bwys – dwys, unigryw, annifyr.

Mae *Gorwel Briwedig* yn cyfuno gweithiau Mathew Manning, myfyriwr prifysgol sy'n cwblhau gradd mewn astudiaethau cyfathrebu, a Patti Flynn, awdures a chantores, un a chanddi wreiddiau dwfn yn yr ardal a adnabyddir erbyn hyn fel Bae Caerdydd. Gyda'i gilydd, drwy gyfrwng lluniau a geiriau, dônt wyneb yn wyneb â doe a heddiw dociau Caerdydd.

Serch y gwahaniaeth rhyngddynt o ran oedran a phrofiad, mae eu cydweithrediad yn y ffoto-destun hwn yn un rhagorol. Mae'r gwaith yn ganlyniad edmygedd cyd-rhwng y naill a'r llall—ei edmygedd ef o'i ffordd hi o weld a theimlo,

a'i hedmygedd hithau o'i ddoniau yntau â'i gamera ac o'i sgiliau yn ei ystafell dywyll.

Yn *Iconology: Image, Text, Ideology*, mae W.J.T.Mitchell yn gofyn, "Pam y'n gorfodir i ystyried y berthynas rhwng geiriau a delweddau gwleidyddol eu gogwydd, fel ymryson am diriogaeth, fel gornest am ystyr?" Weithiau, bydd y berthynas rhwng ffotograffwyr ac awduron yn un anodd, ond nid felly yma. Yn y gwaith hwn, mae delweddau a geiriau, celfyddyd weledol a llenyddiaeth, yn cydfodoli mewn perthynas ymddiddanol, ddwys a ffrwythlon.

"Bob amser, wrth dynnu lluniau, rhaid i'r ffotograffydd barchu ei wrthrych yn ogystal â'i hunan."

Henri Cartier-Bresson, *The Mind's Eye*

Nid myfyriwr o ffotograffydd yn tynnu lluniau, a'r adroddwraig, wedyn, yn darparu testun—teitlau a chapsiynau - ar eu cyfer, fu dull llunio'r llyfryn hwn. Dros gyfnod o wythnosau, fe gyd-gerddodd yr adroddwraig a'r ffotograffydd ar hyd traethlin yr ardal, a ail-ddyfeisir fel Bae Caerdydd. Nid llygad y ffotograffydd yn unig a geir yma, ond un yr adroddwraig hefyd—oherwydd bydd hithau'n aml yn ei gyfarwyddo i godi'r glicied ar olygfeydd ei hatgofion.

Wrth dywys y ffotograffydd, mae'r adroddwraig yn tynnu ar archif bersonol, gyfunol o'i hargraffiadau. Er mwyn darganfod

17

yr hyn a gofir ganddi, ac ail berchnogi ysgyrion o'i gorffennol, mae'r adroddwraig yn arwain y ffotograffydd at yr ymylon, yr encilion, gwagleoedd yr ail-ddatblygiad nas cyflawnwyd eto. Yno, ymhlith y difrodedig a'r treuliedig, y defnyddiedig a'r gadawedig, llwydda i deimlo bron yn gartrefol.

Ceir yma rai ffotograffau diddorol a dynnwyd â'r gofal hwnnw sy'n cyfleu llygad ffotograffig wrthi'n aeddfedu. Syl-wch ar y cyfansoddiad – golau a chysgod, llinell a gofod, blaendir a chefndir, ffurf a phatrwm – yn y cyfryw ddelwed-dau, megis "Porth", "Y Dychwelyd" a "Tynnu at y Golau". Gwelwch y ffurfiau a'r patrymau yn "Broc Môr", "Disgwyl Y Llanw" ac "Estron". Ystyriwch wead ac ansawdd "Estyn Allan", "Tirnodau" a "Malurion". Daliwch adlewyrchiad y golau ar ddyfroedd y Bae yn "Angorfeydd" a "Myfyrdodau Amser". Sylwch ar y rhyngweithio rhwng ffurf, golau a chys-god yn "Y Blaendraeth" a "Chwilio".

Ffotograffau da yw'r rhain. Ond nid hynny sy'n rhoi pwysi-grwydd iddynt. Yn eu cysylltiad â hanes ac atgof - yn unigolyddol ac yn gyfunol – y mae eu pwysigrwydd a'u gwerth arhosol. Mae'r rhain yn ffotograffau o'r presennol, gydag argraffion o arlliwiau'r gorffennol.

"Nid delwedd yn unig (fel y mae darlun yn ddelwedd) na dehongliad o'r hyn sy'n real yw ffotograff; mae hefyd yn arlliw, yn rhywbeth stensiledig uniogyrchol o'r real, fel ôl troed neu fasg angau."

Susan Sontag, *On Photography*

Ceir yma rai delweddau na fyddai'r ffotograffydd wedi eu cynnwys am eu bod hytrach yn anniddorol neu'n dechnegol amherffaith. Ond mynnodd yr adroddwraig eu cynnwys,

oherwydd iddi hi, y maent yn ail-berfformiadau sy'n llawn atgof ac emosiwn.

Y mae ffotograffio yn weithred foesegol-wleidyddol.

Mae ffotograff yn llawer mwy na'r hyn y dychmyga'r empirydd naïf: nid yn y ffaith ei fod yn gweld y mae pwer y ffotograff ond yn ei allu i symbylu; nid y ffaith ei fod yn ddrych o realaeth ond ei fod , o bosib, yn borth i'r enaid. Fel lluniau perthnasau a ffrindiau marw ar gadw mewn albwm teuluol, mae'r lluniau hyn, ynghyd â'r teitlau a'r capsiynau, yn peri i ni gofio'r gorffennol (ac efallai, i ddychmygu rhyw yfory a allai fod wedi digwydd).

Trwy ffotograffau y cofiwn. Mae'r gorffennol yn bresennol tragwyddol – dyna neges y ffotograff. Er hynny,

"Nid yw'r gorffennol byth yno yn disgwyl cael ei ddarganfod, a'i adnabod am yr hyn ydyw. Mae hanes bob amser yn cynnwys y berthynas rhwng y presennol a'r gorffennol."

John Berger, *Ways of Seeing*

dug Patti Flynn i gof atgofion plentyn am y môr – plwc y llanw, teimlad y creigiau ac arogl y mwd; y llongau cargo, y tynfadau a'r cychod camlas. Cofia am y morwyr mewnfudol a'r llanciau lleol a hwyliodd ar y llongau masnach. Ni cheir lluniau ohonynt yma – yr hen wynebau o'r gorffennol – ond y mae eu hysbryd ar gerdded rhwng y tudalennau hyn.

Drwy ei hatgofion, ei sylwadau a'i delweddau yn y llyfr hwn, mae'r adroddwraig yn adfeddiannu ei lle. Y mae ei hai-lymweliad â thirlun real a dychmygol yn bersonol, bwerus.

Ar wyneb sgleiniog y dŵr, ar y creigiau, ymhlith gwrthrychau gwrthodedig a malurion, fe wêl yr adroddwraig adlewyrchiadau llurguniedig o'r amseroedd gynt. Daw malurion hanes, wedi eu gwasgaru ar hyd bae newydd Caerdydd, yn ddelweddau symbolaidd.

I Patti Flynn, mae'r darnau hyn, yr arlliwiau o'r gorffennol sy'n loetran yn y gofod dieithr, yn cynhyrchu emosiynau dihysbydd a chroes i'w gilydd—boddhad a gwactod, y pleser o adnabod a phoen ddofn colled. Mae'r ffotograff yn lliniaru gofid a dryswch, ac ar yr un pryd, yn eu creu. Mae'n gysur yn ogystal â phoen.

Drwy lais yr adroddwraig down wyneb yn wyneb ag atgofion briwedig ynghyd ag emosiynau a fygwyd ac na fynegwyd gynt yn gyhoeddus. Datgelir ei loes dirgel er mwyn i ni ei rannu.

Tystia llais Patti Flynn i amheuon cymuned, i'w sgeptigiaeth ynglŷn â'r newydd. Mae ei llais, a oleuwyd gan atgofion pwerus ac a lanwyd gan deimladau degawdau o flynyddoedd, yn crynu gan emosiwn. Mae'r ystyron a olrheinir ganddi'n wefreiddiol, ac yn ingol yr un pryd. Iddi hi, ac i rai ohonoch chwithau, mae'r golygfeydd hyn yn archolliadau ac yn glwyfau.

Rhaid iddi chwilio'n ddyfal i ddarganfod mannau a gwrthrychau sy'n atseinio ei hatgofion. O bryd i'w gilydd daw o hyd i olygfeydd sy'n gwawdio'i chof. Felly, iddi hi, mae Argae Bae Caerdydd yn rhwystr, yn ymyrraeth estron.

Yn y ffoto-destun hwn, cawn ein denu o raid i weld yr hyn a wêl y storïwraig, i brofi yr hyn y mae hi'n ei deimlo, i gydgadarnhau â hi fod yr arlliwiau yno o hyd.

Mae'r ffotograff yn pricio, yn archolli ac yn ailagor hen glwyfau—yn yr achos hwn, clwyfau trigain mlynedd. Wrth dynnu ar ei hatgof personol ynghyd ag un cyfunol ei theulu a'i chymuned, mae'r storïwraig yn galw i gof ac yn ailweld llanciau a dynion y Bae a hwyliodd o Gaerdydd, ac a gollodd eu bywydau ar y môr ar longau masnach diymgeledd yn ystod yr Ail Ryfel Byd. Fe'n gwahoddir i ymuno â hi i ddychmygu tynged dynion gwrthodedig y gymuned ddiarddeledig. Ond does dim pregethu yma.

Yn *Time Pieces* (1999), dywed Wright Morris, "Mae delweddu cofiadwy ein hawduron gorau wedi ei wreiddio mewn atgof ac emosiwn." Sialens celfyddyd yw creu rhywbeth o bwys—er mwyn peri i'r gwyliwr-ddarllenydd fyfyrio a theimlo, a chael ei gyffroi.

Ddiwrnod cyn cychwyn y gwaith hwn, nid oedd Patti Flynn a Mathew Manning yn adnabod ei gilydd. Pan ddeuthum â hwy at ei gilydd, teimlais y byddai'r canlyniad yn un da.

Mewn gwirionedd, bu'n rhyfeddol.

Ymunwch â'r adroddwraig a'r ffotograffydd ar daith o amgylch Bae Caerdydd—at olygfeydd atgof. Cyd-gerddwn â hwy i weld yr hyn a wnaed.

Bae Caerdydd: "datblygiad glan y dŵr mwyaf gwefreiddiol Ewrop", neu fan lle bu trosedd? Chi biau'r dewis.

AM GYFEIRNODAU GWELER TUDALEN 13.

Towards the end the 19th century, Cardiff was one of the busiest seaports in the world. Tons of Welsh steel and coal were shipped out.

During the Second World War, hundreds of merchant ships with seamen from Butetown's multiracial community – husbands, fathers, sons and brothers – left from the docks and pier head.

Only a small number had returned by the end of the war.

Ganrif a mwy yn ôl, roedd porthladd Caerdydd gyda'r prysuraf drwy'r byd. Allforiwyd tunelli o ddur a glo.

Adeg yr Ail Ryfel Byd hwyliodd morwyr cymuned amlhiliol Butetown – gwŷr a thadau, meibion a brodyr – ar leng o longau o'r dociau a phen y pier.

Erbyn diwedd y rhyfel, prin oedd y rhai a ddychwelodd.

22

The ships would wait at the dock until the tide was high. Then they would sail away with our fathers, sons and brothers. 'Oh where are you heading for, all you big ships? Are you going to exchange our Welsh coal for food and goods?'

Disgwyliai'r llongau yn y doc am y llanw. Wedyn, hwylient gyda'n tadau a'n meibion a'n brodyr. 'I ble'r ewch chi oll, longau mawrion? A ewch chi i drwco glo Cymru am fwyd a nwyddau?'

The Pier Head building, at the southern end of Bute Street, was the jewel in the crown of the bay; a starting point and terminus for travel.

When the tide was out, we were allowed to run up and down the gangplank that reached the rocky shore of the bay. Extra special days were when the tide was up, and we would wait, bursting with excitement, for the pleasure steamer to take us on the trip across the channel, to Weston-Super-Mare.

On these days the grownups would stand against the sea wall, and gaze nostalgically at the sea. Perhaps hoping to see reflections of their lost loved ones, rippling on the waters of the bay.

Yr em yng nghoron y bae oedd adeilad Pen Y Pier, ar waelod Heol Bute; man cychwyn neu derfyn y daith.

Yn ystod y distyll caem redeg lan a lawr ar hyd y bompren a groesai at draeth caregog y bae. Dyddiau gwefreiddiol oedd y rheiny, pan geid digon o lanw i'r llong bleser fynd â ni, yn gyffro i gyd, ar wibdaith ar draws y sianel i Weston-Super-Mare.

Bryd hynny, safai'r oedolion ger y morglawdd, a syllu'n hiraethus ar y môr. Gobeithient weld, efallai, wynebau eu hanwyliaid gynt yn crychdonni ar ddyfroedd y bae.

At high tide the young boys used to jump into the sea and swim out to the moorings. Most of us down the bay learnt to swim in the canal or the River Taff, but only the daring big boys would dive into the sea from the pier head.

Adeg penllanw neidiai'r bechgyn ifainc i'r môr a nofio at yr angorfeydd. Dysgodd y mwyafrif ohonom nofio yn y gamlas neu yn Afon Taf. Dim ond y bechgyn mawr, beiddgar a ddeifiai i'r môr o ben pella'r pier.

When the tide was out you could see the mudflats; shining brown mud that would suck you under, if you ventured onto its inviting surface. Better to skip from whitewashed rock to rock, trying not to slip on the seaweed – a dangerous game. Better still to sit on the bank, and just gaze at the scene from a safe distance.

Yn ystod y distyll gallech weld y fflatiau mwd; mwd sgleiniog cochlyd a'ch denai, a'ch sugno iddo, pe mentrech arno. Gwell fyddai chwarae'r gêm heriog – sgipio o graig i graig galchog, gan ofalu osgoi'r gwymon llithrig. Gwell byth fyddai eistedd ar y lan, a syllu'n ddiogel o bell ar y man.

The trees along the embankment – and I remember when their branches were full of leaves, and the grass was moist and green. *Verde que te quiero verde:* 'Green how I love green' (poet Garcia Lorca).

Now the silent army closes in.

Roedd coed ar hyd yr arglawdd – a chofiaf eu canghennau'n drwm gan ddail, a thanynt, y borfa'n lesni gwlych. *Verde que te quiero verde:* 'Ar lesni y ffolaf' (Garcia Lorca).

Nawr, dynesa'r fyddin ddistaw.

Boats and buoys linger on the river.
Once young boys would cover
themselves with mud, wait for it to dry,
then swim in this same part of the
River Taff that leads to the sea beyond
the bridge.

Mae'r cychod a'r bwiau yn loetran ar
yr afon. Unwaith, plastrai'r llanciau eu
hunain â mwd, a disgwyl iddo sychu
cyn deifio i'r hyd hwn o Afon Taf sy'n
llifo at y môr y tu hwnt i'r bont.

Between the vagabond clouds and couch grass, progress is made on reclaimed land that was once the mudflats of old Cardiff inlet.

Rhwng y cymylau crwydrol a'r marchwellt, trawsnewidir y tir adferedig, lle bu unwaith, fflatiau mwd hen gilfach Caerdydd.

A buoy waits on the washed rock slabs, for a ride on the next high tide. The smell of
the sea mingles with the smell of the mud.

We would paddle in the waters of the Channel, and eat candyfloss on Penarth pier.
Men fished in a silence that we respected. We held our breath when a line began to
tense and shake as it strained in a struggle with a fish or floating missile.

Ar y creigiau glân mae bwi yn disgwyl nofio ar y llanw nesaf. Mae arogl y môr yn
gymysg ag arogl y mwd sgleiniog.

Caem fracso yn nyfroedd y Sianel, blasu candi-fflos ar bier Penarth; parchu
distawrwydd pysgotwyr; dal ein hanadl wrth i lein dynhau a chrynu yn ei brwydr â
physgodyn neu â theflyn ar wyneb y dŵr.

At low tide we would be able to take a short cut through a tunnel at the end of Ferry Road, and arrive at the other side of the bay on a path near the rocky shore of Penarth beach.

Yn ystod y distyll medrem gymryd llwybr tarw drwy dwnnel ar waelod Ferry Road, a chyrraedd glan arall y bae gerllaw traeth caregog Penarth.

A lone searchlight sweeps the heavens for a sign of the enemy.

The sirens are silent, the war is over, the battle won; the cost to us is great.

They will not return, but we owe them our future.

May their light shine on as it does in the distant church.

Mae un chwilolau yn sgubo'r ffurfafen am arlliw o'r gelyn.

Mae'r seirenau'n ddistaw, y rhyfel ar ben, y frwydr wedi'i hennill; i ni,
mae'r pris yn uchel.

Ni ddychwelant, ond eu haberth hwythau a dalodd am ein dyfodol ninnau.

Llewyrched eu goleuni, fel y gwna yn yr eglwys bell.

How silent this part of the River Taff is, united
with terrain before it joins the Atlantic.

I remember when we used to swing from a rope
suspended from one of the few sturdy trees
along the embankment on this side of the Taff.

Mor ddistaw'r hyd hwn o Afon Taf, yn un â'r
tir cyn ymuno â'r Iwerydd.

Arferem bendilio ar raff yn hongian o goeden
dalgryf ger yr arglawdd ar y lan hon o Afon Taf.

I recall that musty smell of the sea,
as it came for the Taff and left
behind its treasures – the washed
debris of long forgotten yesterdays.

Cofiaf arogl trwm y môr, fel y deuai
o Afon Taf, a gadael ei drysorau ar
ei ôl – malurion golchedig o hen
ddoeau anghofiedig.

Let me close my eyes, and it may go away, for there is no place for it, even in the smallest corner of my mind.

All I saw as a young girl, sitting on the sea wall of the esplanade, was an unobstructed horizon.

Gad i mi gau fy llygaid, fel y diflanno. Does dim lle iddo, hyd yn oed ar encil lleiaf fy meddwl.

A minnau'n groten, yn eistedd ar wal yr esplanâd, yr hyn a welwn oedd y gorwel yn llwyr agored.

48

Barrage, you may stop the tide, but the past is already written in the wind, in the sea, in our minds.

Can you replace the wildlife that you have exchanged for progress in the seas around you, or feed the gulls that scream above the Bay?

You are the alien in our waters.

Argae, gelli atal y llanw, ond eisoes, cofnodwyd pob doe yn y gwynt, yn y môr, yn ein meddyliau.

A elli di adfer y bywyd gwyllt a werthaist yn enw cynnydd yn y moroedd o'th amgylch? Elli di fwydo'r gwylanod sgrechlyd uwchben y Bae?

Ti yw'r estron yn ein dyfroedd.

This scene is new to me – no one in the old community could afford sailing boats or yachts. This is part of the new bay.

But where is the community that gave life and culture to the old bay?

Wele olygfa ddieithr i mi – ni allai neb o'r hen gymuned fforddio badau a chychod hwylio. Dyma'r bae newydd.

Ond ymhle y mae'r gymuned a roddodd fywyd a diwylliant i'r hen fae?

With the passage of time things change: yachts and pleasure boats anchor where steamships, tug boats and barges once queued.

The Norwegian Church was built in 1868. During the 'new bay' development, this established landmark was moved, but the memory of its light and welcome to seamen in troubled times still remain.

Gyda threigl amser mae pethau'n newid; badau a chychod pleser yn angori, lle bu unwaith, stemars a thynfadau a chychod camlas.

Adeiladwyd yr Eglwys Norwyeg yn 1868. Yn ystod datblygu'r 'bae newydd' symudwyd yr adeilad adnabyddus, ond erys y cof o hyd am ei oleuni a'i groeso i forwyr ar adegau cythryblus.

Small boats lie where large ships waited for
high morning tide at Pier Head – to take our
merchant seamen away from their homes by
the bay to ports far away.

Now time and tide just wait.

Gorwedd mân gychod, lle cynt yr arhosai
llongau enfawr am benllanw'r boreau ger
Pen Y Pier – i gludo ein morwyr o'u cartrefi
wrth y bae i borthladdoedd pell.

Erbyn hyn, dim ond amser a llanw sy'n aros.

The muddy waters of the bay rise to
the surface and sparkle like jewels
in a crown of glory for those who
are lost but not forgotten.

We would walk along the side of the
dock, and watch the ships anchor
outside the bay. There they would
wait to dock and offload their
cargoes, before reloading to sail
away on another high tide.

That was yesterday, this is today,
and tomorrow never comes.

When cultures grow weak, our
memories will prevail.

Cwyd dyfroedd mwdlyd y bae i'r
wyneb nes disgleirio fel gemau
coron fawrhad i'r sawl a gollwyd,
ond nas anghofiwyd.

Cerddem ar hyd y doc a gwylio'r
llongau'n angori y tu hwnt i'r bae,
gan aros eu tro i ddocio a
dadlwytho, cyn llwytho eilwaith i
hwylio ar benllanw arall.

Ddoe oedd hynny; mae hi'n heddiw
nawr, a hwyrach na ddaw yfory.

Ond pan gollir diwylliannau, erys
gafael atgofion.

The muddy waters are full of our memories.

Some brave men survived to tell the tales of their awesome journeys. Others lost their lives at sea.

The names of the lost British ships and their crews are engraved on black marble monuments in the Garden of Remembrance, Tower Bridge, London.

Mae'r dyfroedd mwdlyd yn drwm gan atgofion.

Bu fyw rhai dewrion i draethu'u straeon am eu siwrneion rhyfeddol. Bu farw eraill dan y tonnau.

Mae enwau llongau a gollwyd, ynghyd â'u criwiau, ar golofnau marmor, du yng Ngardd Goffa Tower Bridge, yn Llundain.

On the Contributors

MATHEW MANNING, PHOTOGRAPHY

I grew up in Somerset and attended Westfield Community School in Yeovil. I studied countryside management for three years at Cannington College, because of my interest in the countryside, and then worked for a local wildlife habitat management company. After three years, I decided to change direction in order to pursue my interest in photography and writing.

Thus I took a first class degree in communication studies at the University of Glamorgan. While completing an independent study in photojournalism in my final year in 2002, Glenn Jordan introduced me to Patti Flynn. This book, and the related exhibition, is the result.

I now work as a photojournalist for *Dorset's Blackmore Vale Magazine* and sister publication *Somerset's Fosse Way Magazine*. I also contribute to several national countryside publications on a freelance basis.

PATTI FLYNN, MEMORIES & TEXT

I was born the youngest of 6 children in Sophia Street, Tiger Bay. During the war we lived in Pomeroy Street in The Docks and later moved back to North Church Street in the Bay. After attending St Mary's Infant & Junior School, I left South Church Street School as Head Prefect at the age of 15. I joined the staff of John Isaac & Sons as Junior Clerk and later became an Office Typist. In the evenings I studied music and drama at Cardiff Castle Evening Classes and later took up a singing career. I married at the age of twenty and bought a house in Roath and later in Llanishen, where I brought up my family of 3 children.

I re-married in 1987 and moved to Southern Spain where I became a radio presenter and also wrote a column in a monthly property magazine. Creative writing has always been a passion and, with the support of Butetown History & Arts Centre, I am currently working on a kaleidoscope of childhood memories of growing up down old Cardiff bay.

GLENN JORDAN, INTRODUCTION & EDITING

I work as Director of Butetown History & Arts Centre and Senior Lecturer in Cultural Studies at the University of Glamorgan. Originally from Sacramento, California, I studied African & Afro-American studies and psychology at Stanford University (1970-76) and anthropology and cultural theory at the University of Illinois (1983-86). I've lived in Cardiff since 1987.

My research and writing mostly concerns history, photography, cultural theory and race. My publications include *Cultural Politics: Class, Gender, Race and the Postmodern World* (Blackwell, 1995; co-authored with Chris Weedon), *'Down the Bay': Picture Post, Humanist Photography and Images of 1950s Cardiff* (Butetown History & Arts Centre, 2001) and *Trampsteamers, Seamen & Sailor Town: Jack Sullivan's Paintings of Old Cardiff Docklands* (Butetown History & Arts Centre, 2002). I'm currently writing two books: *Race*, to be published by Routledge; and *Voices from Below: People's History & Cultural Democracy*, to be published in Arnold's "Writing History" series.

T. JAMES JONES, TRANSLATOR

Poet and dramatist. National Eisteddfod crowned bard at Fishguard (1986) and Newport (1988). Publications: six poetry collections, one of which *(O Barc Nest)* was nominated for Book of the Year 1998; eight stage plays including *Dan y Wenallt*, the acclaimed Welsh translation of *Under Milk Wood*, Dylan Thomas.

A native of Newcastle Emlyn, he now lives in Cardiff, where he worked for years as a BBC script editor before becoming a freelance writer.

PHOTOGRAPHS BY: GLENN JORDAN, JOHN BRIGGS, JOHN MCFADDEN, JEFF MORGAN

Y Cyfranwyr

MATHEW MANNING, FFOTOGRAFFIAETH

PATTI FLYNN, ATGOFION A THESTUN

Fe'm magwyd yng Ngwlad Yr Haf a'm haddysgu yn Ysgol Gymunedol Westfield, Yeovil. Oherwydd fy niddordeb mewn cefn gwlad, astudiais, am dair blynedd, reolaeth cefn gwlad yng Ngholeg Cannington, cyn gweithio i gwmni rheoli cynefin bywyd gwyllt lleol. Ar ôl tair blynedd penderfynais newid cyfeiriad er mwyn dilyn fy niddordeb mewn ffotograffiaeth ac ysgrifennu. Felly enillais radd dosbarth cyntaf mewn astudiaethau cyfathrebu ym Mhrifysgol Morgannwg. Tra roeddwn yn cwblhau astudiaeth annibynnol mewn ffoto-newyddiaduraeth yn fy mlwyddyn derfynol yn 2002, fe'm cyflwynwyd gan Glenn Jordan i Patti Flynn. Y canlyniad yw'r llyfr hwn a'r arddangosfa berthnasol. Rwy'n gweithio nawr fel ffoto-newyddiadurwr i *Dorset's Blackmore Vale Magazine* ynghyd â'i chwaer-gyhoeddiad *Fosse Way Magazine*, Gwlad Yr Haf. Yr wyf hefyd yn gyfrannwr annibynnol i amryw o gyhoeddiadau cenedlaethol cefn gwlad .

Fi oedd yr ieuengaf o 6 o blant ar un o aelwydydd Stryd Sophia, yn Tiger Bay. Yn ystod y rhyfel roeddem yn byw yn Stryd Pomeroy yn ardal Y Dociau cyn symud yn ddiweddarach i Stryd North Church yn y Bae. Ar ôl bod yn Ysgol Gynradd Y Santes Fair, gadewais Ysgol Stryd South Church fel Prif Swyddog pan oeddwn yn 15 oed. Ymunais â staff John Isaac & Sons fel Is-glerc cyn dod yn Deipydd Swyddfa. Astudiais gerddoriaeth a drama mewn dosbarthiadau nos yng Nghastell Caerdydd cyn dechrau gyrfa fel cantores. Priodais pan oeddwn yn ugain oed a phrynu tŷ'n Y Rhath ac yn ddiweddarach yn Llanisien, lle y megais fy nheulu o 3 o blant.

Ar ôl ail briodi yn 1987 symudais i Dde Sbaen ble y deuthum yn gyflwynydd radio yn gyfrannydd i golofn mewn cylchgrawn eiddo misol. Bu ysgrifennu creadigol yn agos at fy nghalon erioed, a chyda chymorth Canolfan Hanes a Chelfyddyd Butetown yr wyf ar hyn o bryd yn gweithio ar galeidoscop o atgofion am fy mhlentyndod yn yr hen fae yng Nghaerdydd

GLENN JORDAN, CYFLWYNIAD A GOLYGYDDIAETH

Yr wyf yn Gyfarwyddwr Canolfan Hanes a Chelfyddyd Butetown ac yn Uwch-ddarlithydd mewn Astudiaethau Diwylliannol ym Mhrifysgol Morgannwg. Yr wyf yn frodor o Sacramento, California. Cymerais gwrs mewn astudiaethau Affricanaidd ac Affro-Americanaidd ac mewn seicoleg ym Mhrifysgol Stanford (1970 – 76) ac mewn anthropoleg a theori ddiwylliannol ym Mhrifysgol Illinois (1983 – 86). Rwy'n byw yng Nghaerdydd ers 1987. Mae fy ymchwil a'm hysgrifennu yn bennaf yngl_n â hanes, ffotograffiaeth, theori ddiwylliannol a hil. Mae fy nghyhoeddiadau yn cynnwys *Cultural Politics: Class, Gender, Race, and the Postmodern World* (Blackwell,1995; ar y cyd â Chris Weedon), *'Down the Bay': Picture Post, Humanist Photography and Images of 1950s Cardiff* (Canolfan Hanes a Chelfyddyd Butetown, 2001) a *Trampsteamers, Seamen & Sailor Town: Jack Sullivan's Paintings of Old Cardiff Docklands* (Canolfan Hanes a Chelfyddyd Butetown, 2002). Ar hyn o bryd rwy'n ysgrifennu dau lyfr: *Race*, i'w gyhoeddi gan Routledge: a *Voices from Below: People's History & Cultural Democracy*, i'w gyhoeddi yng nghyfres Arnold "Writing History".

T. JAMES JONES, CYFIEITHYDD

Bardd a dramodydd. Prifardd y Goron yn eisteddfodau Aberwaun (1986) a Chasnewydd (1988). Cyhoeddiadau: chwe chasgliad o gerddi, ac un ohonynt, *O Barc Nest*, wedi ei enwebu ar gyfer Llyfr y Flwyddyn 1998; wyth drama lwyfan, yn cynnwys *Dan y Wenallt*, sef cyfieithiad Cymraeg o *Under Milk Wood*, Dylan Thomas.

Brodor o Gastellnewydd Emlyn, sydd yn awr yn byw yng Nghaerdydd, ble y bu'n gweithio am flynyddoedd fel golygydd sgriptiau teledu'r BBC, cyn mynd yn awdur ar ei liwt ei hun.

FFOTOGRAFFAU: GLENN JORDAN, JOHN BRIGGS, JOHN MCFADDEN, JEFF MORGAN

WE WOULD LIKE TO THANK ALL THOSE PEOPLE WHO HELPED MAKE THIS EXHIBITION AND PUBLICATION POSSIBLE. WE GRATEFULLY ACKNOWLEDGE A PUBLICATIONS GRANT FROM THE ARTS COUNCIL OF WALES AND FINANCIAL SUPPORT FROM THE HOME OFFICE'S "CONNECTING COMMUNITIES" PROGRAMME. WE ALSO THANK THE UNIVERSITY OF GLAMORGAN FOR THEIR SUPPORT.

CAREM DDIOLCH I'R HOLL BOBL A HELPODD I WNEUD YR ARDDANGOSFA HON A'R CYHOEDDIAD HWN YN BOSIBL. GWERTHFAWROGWN GYMORTHDAL CYNGOR CELFYDDYDAU CYMRU YNGHYD Â CHYMORTH ARIANNOL RHAGLEN "CYSYLLTU CYMUNEDAU" Y SWYDDFA GARTREF. DIOLCHWN HEFYD AM GEFNOGAETH PRIFYSGOL MORGANNWG.

CEFNOGI CREADIGRWYDD
CYNGOR CELFYDDYDAU CYMRU
THE ARTS COUNCIL OF WALES
SUPPORTING CREATIVITY